D0424464

LE FACTEUR PSY AU GOLF

Données de catalogage avant publication (Canada)

Plante, Albert, 1940-

Le facteur psy au golf

ISBN 2-89089-602-1

1. Golf. 2, Golf - Aspect psychologique. I. Titre.

GV979.P75P52 1994 796.352 C94-940450-0

LES ÉDITIONS QUEBECOR INC.
7, chemin Bates
Bureau 100
Outremont (Québec)
H2V 1A6

Dépôt légal, 1er trimestre 1994

Bibliothèque nationale du Québec
Bibliothèque nationale du Canada
ISBN : 2-89089-602-1

Distribution : Québec Livres

Éditeur : Jacques Simard
Coordonnatrice à la production : Sylvie Archambault
Photo de la page couverture : Claude Michaud
Conception de la page couverture : Bernard Langlois
Révision : Jocelyne Cormier
Correction d'épreuves : Hélène Léveillé
Composition et montage : Lacroix O'Connor Lacroix, inc.

Impression : Imprimerie L'Éclaireur

LE FACTEUR PSY AU GOLF

ALBERT PLANTE, M.D.

REMERCIEMENTS

Merci à Carlo pour avoir agréé ma suggestion d'y aller de mon grain de sel «psy» dans la revue *Albatros*.

Merci à Louise pour son appui et pour m'avoir accompagné.

Merci à Jacques pour son idée de réunir mes textes.

TABLE DES MATIÈRES

AVANT-PROPOS

J'ai la prétention d'avoir avec Arnold Palmer au moins deux choses en commun : les initiales et l'amour du golf. Qu'il ait fait du golf son gagne-pain ne semble pas avoir entamé son enthousiasme : on l'a vu, lors du dernier «*skins game*», remplacer John Daly à pied levé, jouer avec plaisir, savourer chacun de ses bons coups de même que ceux des autres et garder sa bonne humeur jusqu'à la fin, même s'il n'y a récolté aucun écu.

Si avoir les mêmes initiales relève des caprices du hasard, le plaisir de m'adonner au golf tient au fait d'y avoir été renforcé par la pratique de l'activité : pour la plupart des personnes qui s'y essayent, l'adage suivant se vérifie : «Plus on joue, plus on aime.» Ainsi en serait-il aussi des jeux de l'amour, des jeux de hasard et des fraises à la crème!

C'est ainsi que, sans prétention mais pour le plaisir, j'ai entrepris, il y a quelques années, de partager par écrit avec mes collègues golfeuses et golfeurs, le fruit d'une réflexion sur cet aspect important du golf : le «*psychique*». À celui-ci s'ajoutent les facteurs «*pratique*» et «*technique*», constituant ainsi ce que j'appelle le TRÉPIED du golf.

Attention! ne faisons surtout pas l'erreur de croire que tout est dans la tête. D'ailleurs, quand des professionnels disent de Jack Nicklaus qu'il est «le plus fort dans la tête», ils viennent simplement confirmer qu'en sus de la technique et de la pratique, sa force mentale (concentration, capacité d'évaluation et jugement) est meilleure que celle des autres professionnels de ce sport.

N'allez surtout pas vous laisser tenter par «le diable de la pensée magique» quand il vous souffle à l'oreille qu'en vous concentrant bien, vous réussirez ce coup roulé que vous ne calez pas habituellement, que vous saurez choisir le bâton qu'il faut si c'est la première fois que vous faites face à une situation donnée, que votre balle ira là où vous le désirez simplement parce que vous en aurez visualisé la trajectoire. La visualisation, si utile aux plongeurs, aux descendeurs en ski et aux gymnastes, entre autres athlètes, ne vous servira, tout comme à eux, qu'à la condition express que vous la combiniez avec des répétitions patientes et bien encadrées.

Les textes qui suivent ont été rédigés dans un premier temps sous forme de chroniques publiées au cours des trois dernières années dans la revue québécoise de golf *ALBATROS*. Leur réunion dans un seul ouvrage ne prétend d'aucune façon couvrir tout l'aspect psychologique de la pratique du golf. Mon objectif se limite plutôt, sans en diminuer l'importance, à donner au facteur «PSY» la place qui lui revient.

Je sais cependant que, toutes les excuses étant bonnes, le facteur «psy» continuera d'être mis au banc des accusés lors de mauvaises exécutions, avec des remarques du type :

«Je pensais à autre chose...»

«Je n'étais pas prêt...»

«Vous m'avez distrait...»

«Je n'ai pas fait ma routine...»

«Chaque fois que je vois de l'eau, moi...»

Avant que vous n'entrepreniez la lecture de ces textes, permettez-moi de vous poser cette question :

«Jouer mieux, c'est bien;
jouer avec plaisir, n'est-ce pas mieux?»

Bonne lecture et
bon golf!

S. BOURRELLE '94

Pensez golf!

«Je ne méritais pas de gagner, j'ai tout gâché, j'ai commis des erreurs mentales.» Ainsi se lamentait Mark Calcavacchia à l'issue de la Classique Honda (mars 1990) dont il avait perdu les honneurs à Coral Springs. Ce commentaire est loin d'être inédit. Qui de vous n'a déjà entendu dire ou n'a lui-même dit : «Le golf, c'est dans la tête que ça se passe»?

Et si on vous posait la question suivante, que répondriez-vous? «En pourcentage, quelle importance donnez-vous à l'aspect psychique par rapport à la technique et à la pratique lorsque vous jouez au golf?» 10%? 20%? 30%? et même plus?

Quoi qu'il en soit, tous s'entendent pour reconnaître que le psychique joue un rôle non négligeable dans la pratique de ce sport de plein air.

Paradoxalement, il est plutôt rare qu'on s'adresse spécifiquement à cet aspect du golf et qu'on en étudie les mécanismes. Dans cet ouvrage, il sera question de sujets aussi sérieux que la concentration, la visualisation et la généralisation; des facettes plus légères seront aussi abordées, comme les superstitions, la caractériologie et dix-neuf définitions particulières au golf.

Ne soyez pas étonnés si vous avez parfois l'impression que ce que vous lisez n'est pas vraiment nouveau. Nous avons tous ce qu'on appelle «de la psychologie» de façon naturelle et spontanée. L'originalité de ma démarche réside plutôt dans le fait d'y mettre l'accent et de regarder le jeu du golf par le bout «psy» de la lorgnette. Ainsi, à titre d'exemple, et comme il faut bien commencer quelque part, j'ai décidé de vous entretenir dans ce premier chapitre d'un énorme mensonge qu'on répète à propos du jeu de golf : NON, le golf n'est pas un jeu! (nous reviendrons d'ailleurs plus loin sur l'autre aspect de cette même question, à savoir que pour certaines personnes le golf n'est pas un JEU, mais un TRAVAIL.) Il s'agit en fait de plusieurs jeux : les coups de départ, les coups de bois d'allée, les longs et les courts fers, les approches et le *putting*. Ah! j'allais oublier les sorties du sable et les entrées dans l'eau... C'est donc l'addition des résultats de votre habileté à maîtriser chacun de ces jeux qui fait de vous une personne plus ou moins performante au golf. Il serait donc logique d'apporter une attention particulière à chacun des aspects de son jeu. N'est-il pas vrai que lorsque vient le moment d'en faire le compte, un coup de départ réussi de 250 mètres ne vaut ni plus ni moins qu'un coup roulé de 15 centimètres raté?

Dans les faits, la réalité est loin d'être aussi sombre et, même si le golf est un ensemble de jeux, il est possible d'en réduire simplement la diversité à deux élans : celui que l'on utilise pour le *putting* ainsi que pour les courtes approches et celui que l'on utilise pour les autres bâtons.

Le golf, c'est un pensez-y bien et ce qui se passe dans la tête de la personne est aussi important que ce qui se passe dans la tête des bâtons. Il serait d'ailleurs tout à fait souhaitable que la première (la tête) soit en contrôle des autres (les bâtons)!

Quitte à me répéter, je vous rappelle que, même si j'ai choisi de mettre l'accent sur l'aspect psychologique, on ne doit pas perdre de vue l'aspect technique sans lequel la meilleure attitude mentale risque de rester au niveau du rêve et de la fantaisie. Le golf s'apprend, se pratique et se contrôle, le tout à l'enseigne du plaisir et de la détente.

S. BOURRELLE '94

Mettez-vous en bulle!

On peut affirmer, sans grand risque de se tromper, que l'unanimité se fait autour d'un facteur «psy» au golf. On peut même assurer que la concentration en est la clé. Cependant, qui dit concentration dit attention, mais aussi distraction, son ennemie jurée.

C'est d'abord en regardant la durée réelle des différentes phases d'une partie de golf que je vous propose d'aborder le problème de la concentration.

Une partie de golf régulière de 18 trous jouée à 4 personnes dure environ 4 heures et demie, soit *270 minutes*. À première vue, on peut dire qu'il est hors de portée des capacités mentales habituelles d'un être humain de pouvoir garder sa concentration durant une aussi longue période de temps. Cependant, si on soustrait le temps durant lequel on se déplace d'un vert au tertre de départ suivant (on marche jusqu'à sa balle après l'avoir frappée, on attend que les autres joueurs aient exécuté leurs coups, on cherche les balles égarées), le temps nécessaire de concentration s'en trouve réduit de beaucoup.

Pour une partie moyenne de 100 coups, on compte environ :

18 coups de départ
42 coups divers
40 coups roulés

Si l'on prend 25 secondes pour les coups roulés, 30 secondes pour les coups de départ et 20 pour les autres, la durée d'attention requise se trouve réduite à *40 minutes*. Bien sûr, ces données sont approximatives : elles peuvent varier selon les individus et les circonstances.

Mais c'est déjà mieux, n'est-ce pas? Certes, mais est-ce suffisant? Sûrement pas, car ce temps n'étant pas continu, il faut recourir à une technique appropriée pour éviter que la distraction ne vienne faire ses ravages.

Comme l'ennemie jurée de la concentration est la distraction, il faut se rappeler qu'elle est alimentée par deux sources principales : l'une interne, l'autre externe.

Voyons d'abord la première. Elle concerne toute pensée importante, tant positive que négative, que vous pouvez apporter avec vous en allant jouer. Remède suggéré : laissez tous vos soucis à la maison ou au bureau. Ces pensées distrayantes peuvent survenir à n'importe quel moment de la joute, de là le défi presque impossible de discuter d'affaires tout en disputant une partie de golf. Ne risquez-vous pas, en voulant parler affaires tout en jouant au golf, que votre compte, votre contrat ou même les deux en souffrent?

Pour plusieurs, c'est plutôt la distraction, de source extérieure, qui leur est fatale, d'autant plus que plusieurs sens peuvent être la cible de stimuli divers.

La vue : On peut être dérangé par un obstacle d'eau ou de sable. Une allée plus étroite peut distraire aussi efficacement qu'un insecte posé sur la balle au moment d'exécuter un coup roulé. Et connaissez-vous pire qu'un moustique (mouche noire, maringouin ou abeille) qui vient vous rendre visite intimement?

L'ouïe : Le stimulus peut prendre la forme d'un bruit inopportun comme une toux, des cris venant d'un vert voisin et même du déclic d'une caméra lorsque, durant un tournoi, des professionnels s'apprêtent à exécuter un coup particulièrement précieux...

Le toucher : La température extérieure, trop chaude ou trop froide, surtout pour les mains, est une cause importante de distraction. Il en va de même pour des souliers inconfortables ou un gant mouillé par la pluie ou la sueur.

Y a-t-il un remède contre la distraction? Heureusement que oui. Il consiste, à la manière de l'autohypnose, à faire le vide en soi et autour de soi en concentrant toutes ses pensées sur la tâche à exécuter. Une façon efficace de procéder consiste à *se mettre en bulle*. Imaginez qu'une bulle de verre vous entoure. Une porte, semblable à celle d'un ascenseur, la rend hermétique en se refermant devant vous. Comptez mentalement 1-2-3 et un déclic se produit, ce qui exclut instantanément tout stimulus venant de l'extérieur. En limitant votre pensée au geste à faire (l'élan), vous réduirez de façon radicale les risques qu'une interférence ne vienne en contrer l'exécution.

Comme d'autres aspects du jeu, cette technique demande un minimum de pratique. Ainsi, vous pouvez l'utiliser aussi bien lorsque vous pratiquez vos coups roulés sur le tapis du salon que lorsque vous frappez des balles au champ de pratique ou en gymnase. Vous ne devriez pas avoir trop de difficultés à l'exporter jusqu'au terrain où vous jouerez. Il sera d'ailleurs question de cette manœuvre dans un chapitre ultérieur (voir **Pratiquer, c'est bien, généraliser, c'est mieux!**). Rappelez-vous que plus le coup s'avère difficile, plus la mise en bulle est importante. Parlez-en à Dan Forsman qui, après avoir vu sa balle atteindre l'eau à son coup de départ au 12e trou d'une partie finale du Masters à Augusta, a récidivé en expédiant sa deuxième balle au même endroit alors qu'il frappait avec un *wedge* et que seulement une cinquantaine de mètres ne le séparait du vert. Et pendant ce temps, Bernhard Langer (qui devait finalement remporter le tournoi et endosser le célèbre veston vert) était sur le vert du 11e trou et, de son aveu, avait son poursuivant en vue. Il a patienté jusqu'à ce que celui-ci se fût mouillé une deuxième fois, s'est ensuite concentré et a réussi son propre coup roulé.

J'allais oublier l'influence des bons ou des mauvais coups précédents sur l'exécution du coup suivant. Je vous suggère de suivre l'exemple de Stéphane Fiset, gardien de buts des Nordiques, qui, après avoir accordé un mauvais but, avoue s'obliger à penser à autre chose. Ce à quoi on pense n'a en soi aucune importance. C'est un peu comme un mot de passe à l'envers. À la guerre, cela s'appelle une activité de diversion. À vous de choisir la pensée, ou encore le geste, qui vous permettra d'exorciser le mauvais sort et de retrouver votre capacité à vous concentrer. À ce jeu, penser trop c'est ... dépenser.

Et si vous entendez dire que Lee Trevino peut jouer au golf en jasant et en blaguant avec ses partenaires, eh bien, dites-vous qu'il ne m'a probablement pas encore lu...

S. BOURRELLE '94

Mettez-y du «visu»!

Lorsque j'étais enfant, on disait d'une personne habile dans un sport où le tir et la précision étaient nécessaires, qu'elle avait du «visu». Le résultat d'un effort musculaire pour atteindre un objectif repose effectivement sur la coordination visuo-motrice de l'individu; pourtant, le fait de bien coordonner l'action de ses membres avec les données transmises par les yeux n'assure pas automatiquement la réussite d'un coup au golf. D'ailleurs, depuis quelques années, le terme «visualisation» est apparu dans le monde médical et sportif. Il fait référence à l'opération mentale par laquelle le sujet tente, par la pensée, de vivre à l'avance et en imaginaire un geste ou une série de gestes à accomplir. Cette opération conjugue détente musculaire et concentration mentale. Par exemple au plongeon, en patin artistique de même qu'en gymnastique, on suggère à l'athlète de «voir» dans sa tête ce qu'il s'apprête à exécuter comme figure.

Bien que ce ne soit pas aussi évident, l'élan de golf, de même que sa préparation, exige une concentration très grande et consiste essentiellement en une série de mouvements plus ou moins complexes qui culmineront par un effort physique réel de moins d'une seconde. Ainsi, cent coups de golf prennent à peine deux minutes des quatre heures et demie que dure une partie.

Un plongeon avec vrilles et culbutes, une pirouette avec salto arrière, un triple saut piqué sont évidemment plus spectaculaires qu'un coup de fer 7; mais en y pensant bien, vous verrez que la séquence et l'enchaînement des gestes, qui vont de l'approche à la balle jusqu'à l'impact du bâton sur celle-ci, en passant par les calculs, tout en tenant compte des obstacles et du vent pour choisir le bâton, sont aussi complexes que vrilles, culbutes et pirouettes.

Comment donc pratiquer cette visualisation et en tirer profit?

D'abord et avant tout, il faut faire le vide, oublier l'environnement tant externe qu'interne. Il est en effet plutôt rare de jouer une bonne partie de golf si on amène avec soi ses soucis du travail ou de la maison. De la même façon, les sources de distraction comme le vent, la pluie, les bruits et autres facteurs externes risquent d'influer négativement sur votre performance. La séquence de l'exercice devrait être la suivante :

1. On ferme d'abord les yeux (on obtient ainsi une diminution importante des stimulations externes).

2. On visualise dans sa tête le coup à exécuter en prenant soin d'en respecter toutes les étapes.

3. On s'efforce de sentir dans son corps le mouvement de chaque geste (les plongeurs vont même jusqu'à simuler les vrilles alors qu'ils «visualisent» debout sur le bord du bassin).

Si, dans la séquence des gestes, vous craignez de vous laisser distraire, utilisez le truc du mot de passe. Il peut s'agir d'un mot que vous prononcerez à l'instant précédant l'élan ou au moment précis de cet élan. Jack Lemmon, acteur américain célèbre, se dit «*Magic Time*» à l'instant qui précède son entrée en scène. C'est sa façon de conjurer le trac. Il s'agit donc pour vous de trouver le moment où vous êtes le plus susceptible de perdre votre concentration. Dernière suggestion : ne tentez jamais d'apporter plus d'une correction durant une partie. On ne répétera jamais assez qu'il est illusoire d'espérer corriger plus d'une seule chose par joute, donc de «travailler» avec plus d'un bâton. C'est probablement pour cela qu'on voit souvent des gens mettre de côté un bâton ou l'autre, ou même parfois le laisser «en pénitence» à la maison...

S BOURRELLE

Abattez le stress!

«*To my great surprise, golf became my lifesaver*» (Richard Nixon)*. Ainsi pouvait-on lire dans la revue *Time* du 2 avril 1990 des extraits de l'autobiographie de cet ex-président des États-Unis, intitulée *In the Arena*. Nixon y décrit l'agonie vécue pendant son exil de la présidence américaine et durant sa lutte pour une renaissance.

Certes, je ne prétends pas que le golf soit régulièrement prescrit par mes confrères psychiatres et psychologues comme «antidépresseur sauve-vie». Cependant, beaucoup de gens, femmes et hommes, y trouvent une occasion de combattre le stress de la vie courante. De plus, il aide un bon nombre de personnes à quitter des sports plus exigeants et plus adaptés à leurs jeunes années. Ils trouvent dans le golf une activité avec laquelle il est possible de vieillir en harmonie. Je ne dis pas que le golf n'est pas un sport approprié aux plus jeunes. Chanceux ses jeunes adeptes joueront simplement plus longtemps que... les «vocations tardives»!

Même si le golf s'avère une activité relaxante, est-ce vraiment toujours le cas?

Vous pourriez en douter si je vous raconte l'histoire de mon ami Ronald, un de ces joueurs qui «prennent» des chicanes avec un de leur bâton et qui le laissent même en pénitence à la maison. Eh bien, dans son cas, c'est tout son sac qu'il a puni. Il a cessé de jouer parce qu'il en était venu à y trouver occasion de stress plutôt que

---

* «À ma grande surprise, le golf m'a sauvé la vie».

de relaxation. C'est que Ronald, un fier compétiteur au hockey, avait oublié que la compétition au golf ne devrait être que contre soi-même et encore... Sinon, il y a risque de transformer une activité de détente en une situation qui ressemble plus à du travail qu'à un jeu. Dans le cas de la compétition aussi, «la modération a bien meilleur goût...»

Pour la plupart des gens, disputer une partie de golf peut être une bonne façon de se détendre, de relaxer, de fuir le stress du quotidien. Il y aura toujours l'aspect performance, mais pourquoi en mettre plus qu'il n'en faut? Pourquoi compter ses coups à sa première partie printanière? Et durant la saison, pourquoi toujours jouer au total des coups plutôt que par trou? Pourquoi jouer seul contre les trois autres plutôt que deux contre deux ou quatuor contre quatuor, au total des coups ou avec la meilleure balle?

Une partie du stress relié au golf vient de la nature même de celui-ci, à savoir que l'objectif est de faire atteindre le trou à la balle grâce au minimum de coups possible. Elle est donc pour ainsi dire inévitable. L'autre partie est dans la tête, dans l'ambition qui nous pousse à relever un défi. Il en revient donc au joueur lui-même de diminuer la partie variable du stress et de rendre au golf son caractère anti-stressant puisqu'il consiste essentiellement à parcourir des allées vertes, bordées d'arbres, agrémentées de lacs et de ruisseaux, loin du bruit et en compagnie de personnes habituellement agréables.

Pour jouer un golf anti-stress, arrivez au club plusieurs minutes avant le moment prévu pour le départ. Prenez un peu de temps pour pratiquer vos coups roulés et faites quelques mouvements d'étirement avant de vous élancer sur la balle. Choisissez vos partenaires lorsque vous le pouvez. Enfin, fixez-vous des objectifs réalistes. Ne visez pas le *par* ou même le *bogey* si vous jouez régulièrement au-dessus de 100. Ne vous laissez pas convaincre de gager si vous n'en avez pas envie et si cela est pour vous une cause de distraction. Enfin, et surtout, laissez vos problèmes au stationnement. J'allais oublier : n'apportez pas votre téléphone cellulaire, sauf pour raison majeure de cœur...

Hallucinez pour le mieux!

Dans un chapitre précédent, il a été question de visualisation. Cette fois, c'est d'une technique inverse dont il sera question. Elle consiste à *ne pas voir* l'obstacle embarrassant. Elle sera utile surtout lorsqu'un obstacle réel ou imaginaire, de par sa nature, risque de vous faire perdre votre concentration et, par voie de conséquence, peut vous rendre difficile la réussite d'un coup.

Voici un certain nombre de situations impliquant un obstacle réel :

- de l'eau, du sable ou un arbre entre votre balle et l'objectif;
- une allée très étroite;
- une balle dans une trappe de sable ou dans l'herbe longue.

Et vous en connaissez sûrement d'autres...

Plusieurs d'entre nous ont vécu cette expérience frustrante de voir leur balle terminer son envol ou dans le sable ou dans l'eau alors que le coup exécuté est habituellement bien réussi. Et que dire de cet arbre, le plus souvent de petit diamètre, que la balle frappe alors que vous l'auriez raté si tel avait été votre objectif? Que faire alors? Tout d'abord, il faut bien décider de l'endroit où votre balle devrait tomber.

Imaginez ensuite la trajectoire qu'elle doit suivre et effacez du tableau l'obstacle lui-même. En un mot, ne tenez pas compte de l'existence réelle de l'obstacle puisque le coup, en fait, en est indépendant... sauf dans votre tête.

Un exemple d'obstacle imaginaire? Prenez mon cas : le deuxième trou du Club de Farnham, un par 3 d'à peine 100 mètres, que je n'arrivais pas à maîtriser. La solution? S'imaginer qu'on est ailleurs, sur un autre par 3 que l'on maîtrise mieux. Vous aurez deviné que cet obstacle imaginaire venait du fait d'avoir eu de la difficulté sur ce trou particulier la première fois.

En hallucinant négativement, on ne peut espérer un résultat meilleur que si on se souvient que la concentration mentale est la clé de la réussite. Vous avez compris aussi que plus l'obstacle est situé près de vous (sauf s'il s'agit de passer par-dessus un arbre et non à côté...), plus les chances de réussite seront grandes. Autre préalable important : il faut que vous soyez capable, de façon habituelle, de réussir ce coup, sinon cela tiendrait de la pensée magique.

Dans le cas spécifique que décrivent nos illustrations, soit celui où la hantise est de voir votre balle disparaître dans l'eau, il ne faudrait pas croire que vous améliorerez les probabilités de l'éviter «en utilisant une vieille balle». Au contraire. N'est-ce pas alors accepter à l'avance la possibilité que la balle se retrouve dans l'eau? N'est-ce pas là une prophétie qu'on se prescrit de réaliser? Pensons et soyons positifs tout le temps!

S.BOURRELLE '94

Augmentez votre M.I.N.M.!

Bien qu'on utilise habituellement le terme de «mémoire neuromusculaire», l'appellation «mémoire intégrative neuromusculaire» (M.I.N.M.) serait plus juste. En effet, le muscle volontaire étant d'abord et avant tout un exécutant bien soutenu par une charpente osseuse et secondé par l'ensemble des articulations, c'est dans le système nerveux central et dans l'intégration des sensations cénesthésiques (qui renseignent le cerveau sur la position et la vitesse de déplacement des membres, donc des articulations et des groupes musculaires) que l'on peut situer le siège de cette mémoire. Son existence est indéniable puisque chacun a pu faire l'expérience de retrouver les mouvements à faire pour telle ou telle activité à laquelle il n'avait pu se livrer depuis un bon moment. Parmi celles-ci, notons la danse, la bicyclette, le patin, le ping-pong, et j'en passe. À titre de preuve, notons la difficulté, heureusement temporaire, reliée au passage d'une activité de raquette à une autre. Jouez au tennis pendant une heure, au badminton pendant une autre et enfin durant une troisième, au ping-pong. Si vous faites ces exercices un à la suite de l'autre, la démonstration sera plus probante, mais aussi plus exigeante... Vous constaterez alors qu'il faut quelques minutes pour s'ajuster à la longueur du manche et à la surface de frappe, aux dimensions de l'aire de jeu et enfin au jeu de pied variant selon les exigences des déplacements qui sont minimes et rapides pour le ping-pong, plus amples pour le badminton et plus étendus pour le tennis. J'oubliais même la grosseur et la vitesse du projectile. De même façon, si vous avez déjà maîtrisé l'un ou l'autre de ces sports, il vous sera plus facile d'en maîtriser un autre de même type. Citons comme exemple le passage des petites aux grosses quilles. Et il en va de même pour le ski alpin, le ski nautique et la planche à neige. Quant au patin à glace et au patin à roues alignées, leur ressemblance d'exécution (attention au freinage qui, lui, est différent), la facilité du passage de l'un à l'autre permet de maintenir la forme d'une saison à l'autre : beau cas de dépendance croisée.

L'existence d'une M.I.N.M. est une bonne nouvelle pour nous, golfeurs nordiques, puisque la répétition des gestes en permet le développement et le maintien entre ces saisons trop courtes que nous offre notre climat.

La pratique devant un écran vidéo, en gymnase, ou en espace plus vaste comme le Dôme (structure gonflable unique au Québec et sise à Laval) est à privilégier pour atteindre cette fin. Enfin, je ne saurais recommander un plutôt que l'autre des exerciseurs qui promettent d'améliorer votre élan par sa répétition, même dans l'intimité de votre foyer. Mais si l'un ou l'autre était vraiment nuisible ou supérieur, «cela se saurait».

En résumé, notre organisme est ainsi constitué qu'il peut intégrer assez facilement un modèle d'action motrice qui peut devenir quasi automatique. Malheureusement, il serait plus difficile à modifier, du moins selon les professeurs de golf. Certains en font même la base d'une approche pédagogique appelée *«automatic golfing»*. Corollaire à cette assertion : mémorisez... comme vous le faites en entrant des données dans votre ordinateur personnel...

S.BOURRELLE '94

Pratiquer, c'est bien, généraliser, c'est mieux!

«Mon rêve, affirmait un professeur de golf, serait de transformer un bon golfeur de terrain de pratique en un bon golfeur de parcours...»

Cette situation où l'apprentissage résiste au transfert de temps et de lieu n'est pas unique, au contraire. Qui n'a pas vécu ce drame de ne plus se souvenir, une fois devant l'auditoire, des paroles d'un discours cent fois répété, de données permettant la solution d'un problème face à une feuille d'examen ou, pire encore, lors du spectacle de clôture d'un cours de danse, sentir le sol se dérober sous des pas oubliés?

Le transfert d'un apprentissage d'une situation à une autre et son inclusion dans une séquence de gestes correspondent à la notion de généralisation. J'aimerais ici en préciser certains éléments.

Je me plais à dire que les aspects technique, pratique et psychique constituent le trépied du jeu de golf maîtrisé, donc réussi.

Ainsi, lorsqu'on souhaite au golf répéter sur le terrain les prouesses accomplies au champ de pratique, est-il sage de garder ces trois points à l'esprit.

LA TECHNIQUE : Assurez-vous que la prise du bâton et l'élan (dans tous leurs composantes) sont maîtrisés et répétés de façon correcte. N'hésitez pas à prendre une leçon en cas de difficulté avec une facette ou l'autre de votre jeu, car le golf est en fait un ensemble de gestes et de situations aussi différentes que le coup d'envoi, le coup à partir d'une fosse de sable, les coups d'approche et le *putting*, pour ne nommer que ceux-là. Je sais, je me répète...

LA PRATIQUE : Il est bien démontré que la répétition de certains gestes provoque l'établissement d'une mémoire intégrative neuromusculaire (M.I.N.M.) et que cette mémoire a tendance à durer pas mal longtemps. Rappelez-vous simplement à quelle vitesse sont revenus vos bons coups lorsque vous avez joué au ping-pong alors que vous n'aviez pas touché à une «palette» depuis des années. Ou encore comment, lors d'une récente promenade à vélo, vous avez tenté (et probablement réussi, je vous le souhaite) de conduire sans tenir les guidons, comme dans votre jeune temps où vous disiez : «Regarde maman, pas de mains...»

Il est donc plus qu'important que les conditions d'apprentissage soient les plus semblables possible pour développer cette mémoire. Ainsi, et même si cela peut demander un certain effort, chaussez vos souliers de golf, mettez votre gant (si vous en portez habituellement un) et, surtout, évitez de frapper, si c'est possible, à partir de tapis lorsque vous allez sur un terrain de pratique extérieur. Rien ne remplace les tés *(tees)* pour les coups de départ et du vrai gazon pour les coups de fer!

LE PSYCHISME : Pour faire le lien entre la pratique et le psychique, concentrez-vous! Si vous avez une routine établie (ce qui est une excellente façon de diminuer les risques de distraction en cours d'exécution), ne la délaissez jamais. Visualisez chacun de vos coups comme si vous étiez vraiment en situation de jeu. Tout cela est logique, puisque c'est dans cette optique que vous investissez votre temps et vos efforts.

Dans le même esprit, n'hésitez pas à pratiquer les coups hors du sable, les coups d'approche et les coups roulés : moins éclatants que les coups de bois un, mais combien profitables en termes de retour sur l'investissement...

Pour vous en convaincre, comptez le nombre de coups roulés que vous prendrez lors de votre prochaine joute et vous verrez qu'il est très rentable d'y accorder du temps. De plus, la précision sur les verts et autour de ceux-ci, encore plus que la longueur des coups de départ, est ce qui résiste le mieux au passage des années.

Un dernier mot : ne frappez pas vos balles comme si vous étiez une mitraillette... Prenez une pause entre chaque coup et n'oubliez pas de commencer le réchauffement par les fers courts avant de toucher du bois, et terminez de la même façon.

S. BOURBELLE '84

N'oubliez pas votre corps!

«L'homme ne se nourrit pas seulement de pain.» Cette maxime bien connue a cependant son corollaire qui pourrait être exprimé de la façon suivante : «L'esprit s'exprime mieux sur un support physique bien nourri.» Dès mes premières réflexions sur le facteur «psy» du golf, j'avais attiré l'attention sur l'importance de l'alimentation et surtout de l'hydratation pour celles et ceux qui s'adonnent à la pratique du golf.

Étant aussi adepte du hockey, de la balle et des sports de raquettes, je constate régulièrement que le défi alimentaire est de taille même s'il varie d'une activité à une autre. J'aime bien la liste de facteurs que suggère la diététiste-nutritionniste Marthe Côté-Brouillette quant à la meilleure façon de se nourrir avant et durant une activité sportive. Ce sont :

- la discipline sportive;
- le choix des aliments;
- la quantité des aliments;
- le temps d'absorption des aliments.

À ces facteurs doivent s'ajouter l'âge et le poids de l'athlète.

En effet, à part le golf, peu de sports peuvent vraiment être pratiqués de 7 à 77 ans et même encore plus tard dans la vie. On rapportait récemment le cas d'un centenaire qui suivait encore ses amis sur le parcours. Il se déplace en voiturette, frappe un coup d'approche et termine ses coups roulés. Qui plus est, certaines maladies chroniques et handicaps peuvent être contournés pour le pratiquer. Ainsi a-t-on vu des personnes aveugles et même amputées des deux bras être, malgré tout, capables de jouer au golf. Un joueur en fauteuil roulant a même été vu à la télévision américaine durant le dernier *Skiws Game Senior*.

De par sa nature, le golf est avant tout une longue marche d'une durée allant de 4 heures et demie jusqu'à 6 heures (dans le cas des fameux tournois où chacun joue sa propre balle...) et d'une distance de 8 à 10 kilomètres, selon la longueur du parcours et les excursions que l'on se permet en dehors des allées. De plus, les conditions climatiques, surtout pour les mordus, peuvent varier d'un soleil accablant à un temps de chien avec vent et pluie. Quant à la température, elle peut faire osciller le mercure d'aussi bas que 5 °C à plus de 40 °C. Il revient donc à chacun de mesurer ses besoins plus en fonction de la durée du temps de jeu et de la distance à parcourir qu'à l'effort physique même à déployer pour frapper la balle. Le fait que le terrain soit plus ou moins accidenté constitue, quant à lui, une incitation à être dans la meilleure forme physique possible.

Hydratation : boire peu avant la joute;

boire régulièrement pendant la joute;

éviter le café, les boissons gazeuses caféinées et l'alcool.

Alimentation : manger peu avant la joute;

manger légèrement pendant la joute.

Si vous jouez tôt le matin, prenez un léger repas quelque temps avant le départ. Si vous jouez en après-midi, prenez un petit déjeuner copieux, puis quelque chose de plus léger avant la partie. Les mets très sucrés sont à éviter : ils provoquent une sécrétion soudaine d'insuline qui risque de se traduire, à moyenne échéance, par une baisse abrupte du taux de sucre sanguin. C'est donc avec prudence que l'on doit prévenir les crises d'hypoglycémie. Entre deux neuf trous, par exemple, un verre de lait avec biscuits à base de céréales serait un bon choix. Les carrés aux dattes ainsi que les dattes elles-mêmes et les figues peuvent être grignotés en cours de partie.

De la même façon, il est suggéré de bien s'hydrater, surtout par temps chaud. Une limonade fraîche légèrement sucrée ou une boisson du type «Gatorade», laquelle contient des électrolytes en plus de sucre, sont particulièrement indiquées. Certains leur préféreront des oranges ou des raisins frais. Dommage que notre saison de golf ne coïncide pas avec celle des clémentines, qu'on appelle aussi fruits-bonbons...

S.BOURRELLE '94

Superstitieux les golfeurs!

Certains d'entre nous se souviendront sûrement de Marcel Bonin, cet ex-joueur de hockey des Canadiens de Montréal, qui, un jour, avait joué «haut-dessus de sa tête» parce qu'il portait les gants de Maurice Richard. C'est lui-même qui faisait le lien entre sa performance et l'utilisation de l'équipement du «Rocket» de façon convaincue et convaincante lorsqu'il s'était adressé aux journalistes ébahis venus l'interroger après la joute. Je me souviens aussi de mon fils Jean-Yves à qui, vers l'âge de 4 ans, nous avions acheté des souliers de course neufs avec une manière de surhomme sculpté dans la semelle : «Regarde, papa, comme ils courent vite ces souliers-là», disait-il en tournant «sur les chapeaux de roues» le coin de la rue.

La confiance en son instrument joue un rôle important dans les performances tant des athlètes, des musiciens que des autres personnes exécutant des performances : cela est bien connu.

En est-il de même des golfeurs? Sont-ils plus rationnels que Patrick Roy, dont on dit qu'il parle à ses poteaux et qui, depuis quelque temps, oblige ses coéquipiers à venir lui «donner du casque protecteur» à la fin de chaque partie? Probablement pas, puisque maints golfeurs ne jouent qu'avec tel ou tel numéro sur leur balle, puisque les fabricants d'équipements misent sur la magie des noms (Killer Whale, Big Bertha, Boum Boum pour les bâtons et Titliest, Top Flite, Magna et Bullet pour les balles) pour séduire la clientèle. Et en serait-ce que grâce à l'effet «placebo», cela semble fonctionner! J'allais oublier ces joueurs qui parlent à leur balle... une fois qu'elle s'est envolée. «Arrête!», «Roule», «Pas dans le bois» et autres injonctions sont régulièrement entendues sur les parcours.

Les superstitions et les rituels visent à conjurer le mauvais sort et à mettre toutes les chances de son côté; en somme, ils sont les témoins d'une tentative de maîtriser l'avenir dans le sens souhaité. L'observation et la raison nous portent pourtant à conclure que, de façon générale, les superstitions sont malheureusement aussi inefficaces et non fondées qu'heureusement inoffensives, n'en déplaise aux adeptes du vaudou. Je reste cependant convaincu que certains rituels peuvent être utiles pour maîtriser l'anxiété, pour retenir la précipitation dans l'exécution de gestes précis. Deux exemples me viennent à l'esprit : le coup roulé et l'indécision face au choix d'un bâton.

LE COUP ROULÉ

Le fer droit *(«putter»)* est le bâton le plus souvent utilisé durant une partie de golf. De là l'importance d'investir temps et efforts pour en maîtriser l'usage si on espère améliorer le pointage de ses parties. La crainte de rater l'exécution d'un coup roulé peut être diminuée par un rituel en trois points qui permet au joueur de diviser en séquences les gestes à faire. Une fois les calculs de la trajectoire de la balle et de la force de frappe effectués, il peut mentalement se dire :

recul du bâton (élan arrière)

contact avec la balle (élan avant)

roulement de celle-ci jusqu'au trou avec espoir qu'elle y tombe chemin faisant.

Dans la tête, cela devient : **ARRIÈRE – FRAPPE et ROULE** ou plus simplement : **UN – DEUX – TROIS**.

Le fait de se concentrer sur ces trois mots diminue les risques de voir la tête du bâton frotter le gazon ou, guère mieux, toucher le dessus de la balle. Un dernier avantage réside dans le fait d'intégrer à chaque coup roulé le rappel de la fameuse nécessité de frapper de façon à ce que la balle se rende au trou, selon l'adage intraduisible qui rappelle que *«never up, never in...»*

LE CHOIX DU BÂTON

D'habitude, le choix du bâton approprié pour l'exécution d'un coup ne pose pas de problème. Cependant, il peut arriver qu'après avoir pris un bâton du sac, on se mette à hésiter, à douter de la justesse de sa décision. Et selon mon expérience, il est fréquent que le coup qui suive soit raté et cela, que l'on ait gardé le bâton choisi ou qu'on en ait sélectionné un autre. C'est que l'indécision a tout probablement influencé l'exécution du coup. La solution que je propose est de tout annuler et, dans son esprit, de «remettre le compteur à zéro». Une fois le bâton remis dans le sac, refaites l'analyse des données sur lesquelles vous allez fonder votre décision et n'allez vers votre sac qu'après avoir fait un choix définitif. C'est à ce moment qu'un geste rituel peut être utile pour faire le vide, comme, par exemple, tourner le dos au sac, en faire le tour, claquer les talons l'un contre l'autre, etc. Inventez le vôtre et dites adieu à la tergiversation...

S.BOURRELLE '84

Vive la jeunesse!

Force est de constater que le nombre des golfeurs pratiquants augmente de façon importante depuis quelques années. Trois sous-groupes en particulier expliquent cette croissance : les jeunes, les personnes de 55 ans et plus ainsi que les femmes qui, on l'aura deviné, se retrouvent aussi dans les deux premiers sous-groupes.

J'ai donc pensé qu'il serait important de regarder de plus près à quels problèmes de la lignée «psy» ces joueuses et joueurs de la jeune vague ont à faire face et, si possible, d'élaborer des stratégies de solution dans la perspective déjà précisée que la technique, la pratique et le psychique constituent le trépied du golf. Même si les remarques qui suivent s'adressent en particulier aux plus jeunes, elles peuvent être utiles à toute personne qui souhaite s'initier à la pratique du golf.

Parmi ceux qui commencent à s'élancer sur les tertres de départ, à parcourir les allées et à préparer en silence leurs coups roulés sur les verts, il y a donc beaucoup de jeunes, surtout des garçons mais aussi des filles. Comment expliquer cet engouement? Plusieurs raisons peuvent être avancées. La première est la plus grande accessibilité, tant géographique que financière, à ce sport et la seconde, la disparition progressive du préjugé qui voulait que le golf soit un sport de «petits vieux riches».

Le golf est l'une des rares activités physiques avec laquelle il est possible de prendre de l'âge allègrement. Mon père, qui a 77 ans, est encore capable de bien se défendre sur un parcours de golf : il frappe moins loin, c'est sûr mais, d'un autre côté, il frappe plus droit et ne se retrouve plus aussi souvent en difficulté.

Quels problèmes risquent d'éprouver un jeune qui commence à jouer au golf? Le premier est celui de la conviction qu'il peut avoir que son talent au base-ball, au hockey ou à un autre sport sera automatiquement transféré au golf. Le second, c'est de penser qu'il peut apprendre tout seul.

Ai-je besoin d'ajouter que le jeune âge est propice à cette attitude de «toute-puissance» et que peu d'individus y échappent?

Les solutions à ces problèmes sont plutôt simples. Un jeune, surtout s'il pratique un autre sport «de frappe», devrait se rendre compte qu'il transporte non seulement son talent, mais aussi des habitudes différentes de celles que demande le golf. Combien de professeurs de golf rêvent de trouver une méthode pédagogique miracle permettant de transformer un «cogneur» en *«swinger»*? L'élan au base-ball n'est pas le même que celui au hockey et au golf.

Voici un remède spécifique : prendre des leçons le plus tôt possible. C'est la meilleure façon d'éviter que de mauvaises habitudes s'incrustent et soient très difficiles, sinon impossibles, à corriger quelques années plus tard.

On déconseille d'initier les enfants au golf avant l'âge de 7 ans. Une règle simple peut vous guider dans votre conduite en ce sens. Jusqu'à cet âge, ne permettez à votre enfant l'utilisation que du fer droit *(«putter»)*. Il appréciera, par exemple, vous accompagner sur un terrain de mini-golf. Par la suite, suivez la règle du 7-plus, qui consiste à ajouter progressivement des bâtons chaque année. Ainsi, à 8 ans, l'enfant jouera avec un fer droit et un fer 7 ou 8, puis s'ajouteront les fers plus longs et plus courts. L'initiation aux bois n'est pas suggérée avant l'âge de 11 ou 12 ans. De toute façon, c'est l'acquisition d'un élan correct et d'une bonne direction qui prévaut sur la distance. Surtout, faites du golf une partie de plaisir tant pour vous-même que pour vos jeunes. C'est aussi une belle occasion d'être avec eux.

S. BOURRELLE '94

Le golf, un révélateur!

On aurait, semble-t-il, emprunté à la sagesse chinoise le proverbe suivant : «Ne juge pas quelqu'un avant d'avoir marché au moins une lieue dans ses chaussures...»

Une façon plus moderne de connaître quelqu'un sans nécessairement chausser ses souliers serait peut-être de jouer une partie de golf avec lui. Le golf implique une série de situations et d'interactions mettant à l'épreuve le tempérament de chacun. Il entraîne de plus une série de comportements et de réactions susceptibles d'en dire autant, sinon plus, d'une personne que certaines épreuves destinées à analyser la personnalité.

Quelques minutes avant le dernier Super Bowl, un commentateur demandait à Marv Levy si le football «bâtissait» le caractère des jeunes : «Non, de répondre l'instructeur des Bills de Buffalo, il le révèle...»

Le golf peut aussi servir à mieux se connaître (malgré les aléas de l'auto-analyse...). Il permet enfin de modifier certaines façons d'agir ou de réagir indésirées de soi-même et indésirables pour les autres.

On peut affirmer que le golf attire un échantillonnage assez représentatif de la population en général. Je ne prétends pas ici faire avancer la science de la caractérologie, laquelle, avec les sanguins, les bilieux, les mélancoliques et les lymphatiques, remonte à la Grèce Antique. Mais il me paraît possible de décrire quelques types de golfeurs parmi lesquels chacun risque d'identifier des amis et, qui sait, même de se reconnaître.

1. LE PRÉTENTIEUX

Dès sa descente de voiture, garée ostensiblement et habituellement hors des zones permises, il raconte ses exploits récents (aucun témoin possible...), fait étalage de son équipement dernier cri et critique l'état du parcours avant même d'avoir frappé sa première balle.

2. LE FRÉNÉTIQUE

Il a hâte, il est pressé et... souvent en retard. Les verts de pratique ne l'ont jamais vu et personne ne joue assez vite pour lui. Il est de ceux qui traînent avec eux leur téléphone cellulaire et qui s'impatientent devant le groupe précédent toujours trop lent selon eux. Paradoxalement, il s'attarde souvent longtemps au 19e...

3. L'OPTIMISTE

«Il aurait pu faire moins beau», dit-il en arrivant même si la température est telle que vous songez à instaurer le port de gants de golf aux deux mains et à troquer la casquette contre la tuque. «Elle aurait pu tomber dans l'eau», se console-t-il en voyant sa balle dans une fosse de sable. Généreux, il considère comme «*gimmie*» toute balle à moins d'un mètre de la coupe.

4. LE DILETTANTE

Pour lui, le golf est avant tout une occasion de marcher en bonne compagnie dans un décor agréable. La performance est secondaire et une balle dans le bois est une occasion de cueillir des fraises en juin, des framboises en juillet, des bleuets en août et des champignons en septembre et en octobre. Il a inauguré l'habitude du double 19e trou dont la première partie doit être jouée entre le 9e et le 10e trou. Même s'il meuble les cauchemars des préposés au départ, il reste un partenaire à rechercher si vous n'êtes pas du type «frénétique».

5. LE TRICHEUR

Bizarrement, même s'il peut compter jusqu'à 1000 et, par cœur, revenir à zéro par bonds de 7, lire et comprendre des rapports financiers où s'alignent les données en millions, il a de la difficulté sur un terrain de golf à tenir un compte de 6 ou 7 pour plus de 10 minutes. Et, à l'encontre des pêcheurs du même type, c'est à la baisse plutôt qu'à la hausse que ses résultats s'en trouvent modifiés. Il peut s'agir de son seul défaut comme d'un élément d'une attitude déviante plus globale : oubli de remettre votre pièce de monnaie avec laquelle il a marqué sa balle, départ précipité lorsque vient son tour de payer une tournée, etc.

Heureusement, les golfeurs appartenant aux types énumérés ci-dessus (sauf pour l'optimiste) n'existent que dans un nombre limité d'exemplaires! Il est parfois souhaitable de les éviter si l'on espère une partie agréable. Si les «frénétiques» ont tendance à se corriger avec les années, les «prétentieux» et les «tricheurs», bien que leur cas ne soit pas désespéré, montrent une forte tendance à la permanence. C'est la prise de conscience qui leur est difficile.

Au-delà de cet exercice typologique et humoristique, je prétends qu'on peut en apprendre aussi sur soi-même en écoutant ce que les autres disent de nous comme joueur de golf.

Ainsi au golf professionnel, plusieurs qualificatifs sont utilisés pour décrire les joueurs.

On dira d'un tel qu'il joue du golf solide et consistant. On ajoutera qu'il est régulier et que, comme membre d'une équipe, il est fiable. D'un autre, on parlera d'imagination, d'élégance ou de sens du spectacle *(show-man)*. Que dire de ceux qu'on accuse de prendre des risques *(gambler)*, de succomber à la pression *(choker)* ou encore de n'être à l'aise que sur leur propre terrain *(homer)*. On pourra caractériser un tel par sa puissance, un autre par son calme et un dernier par son attitude décontractée. Et comment ne pas conclure cette liste incomplète sans mentionner ceux qui ont du flair pour les bourses *(money players)* et qu'on ne retrouve pas seulement sur les circuits professionnels. Leurs victimes les appellent gentiment les «requins» du club.

Cette réflexion sur le golf comme lieu d'observation privilégié du comportement humain peut-elle permettre une quelconque conclusion? Peut-être.

Personnellement, je soutiendrais volontiers que, si on peut dire :

> «Dis-moi ce que tu manges et je te dirai qui tu es»
> «Dis-moi qui tu fréquentes et je te dirai qui tu es»
> «Dis-moi ce que tu lis et je te dirai qui tu es»

On peut aussi affirmer :

> «Dis-moi comment tu joues au golf et je te dirai qui tu es»

P.-S. : Le masculin a été utilisé ici sciemment. Mon expérience limitée ne me permet pas d'affirmer hors de tout doute raisonnable que cette typologie puisse franchir allègrement la barrière des sexes. Mais si je devais gager...

S. BOURRELLE '94

Jouez longtemps, très longtemps!

La demi-vie d'un joueur de golf est d'environ trente années. En effet, on compte peu de joueurs de moins de 20 ans et pas beaucoup de plus de 80 ans. D'ailleurs, c'est à 50 ans, donc à mi-chemin, que la PGA a fixé l'âge d'entrée dans le circuit senior. Pourquoi s'intéresser à cet âge? Parce que de plus en plus de gens commencent, continuent ou recommencent à jouer au golf après 50 ans, dont un nombre croissant de femmes.

Plusieurs aspects de la pratique du golf par les aînés touchent plus particulièrement la motricité et le psychique.

Que faire, ne pas ou ne plus faire? Comment le faire? Voici quelques conseils qui vous aideront à répondre à ces questions.

- Ne jouez pas lorsqu'il fait trop chaud et, si vous devez le faire, prenez soin de bien vous hydrater (lire à ce sujet le chapitre «N'oubliez pas votre corps!»).
- Évitez l'alcool et soyez prudent avec la caféine, car bien qu'elle soit stimulante, elle est aussi diurétique.
- Ne jouez que neuf trous si vous souffrez de courbatures tenaces après une partie complète.
- Ne jouez pas immédiatement après avoir pris un gros repas.
- N'arrivez pas au club à la dernière minute.

- Prenez le temps de frapper quelques balles avant la partie en commençant par vos fers courts pour terminer avec vos bois. C'est ce que font les «pros» puisque c'est habituellement avec un bois que vous frapperez votre première balle.

- Prenez soin de faire des exercices d'assouplissement avant de vous élancer.

- Évitez de faire référence aux performances de «votre jeune temps», à moins d'être entre amis. Et encore là, prenez garde : ils ont peut-être bonne mémoire!

- Portez toute votre attention à votre jeu afin de rester concentré plus efficacement, car vous pouvez vous laisser distraire aussi facilement que lorsque vous étiez «jeune»!

- Ne tentez pas de frapper loin : prenez un bâton d'un numéro ou deux inférieurs et frappez plus droit.

- Comptez tous vos coups; après tout, c'est à soi-même qu'on se mesure au golf. Et c'est tellement plus agréable pour ses partenaires!

Quant à la motricité, voici quelques suggestions pratiques pour favoriser la mise en forme. Commencez par des exercices pour le cou et continuez en descendant le long de votre tronc :

1. Rotation de la tête.

2. Rotation des épaules, avec les mains derrière la tête d'abord, puis les bras repliés sur la poitrine.

3. Rotation du bassin avec les mains sur les hanches, puis les mains tenues ensemble derrière le dos et le tronc incliné vers l'avant.

4. Flexion du tronc, les mains pointées vers les orteils.

5. Flexion des genoux, les pieds à plat et les bras étendus vers l'avant.

Le golf constitue un bon moyen, et même une motivation, pour améliorer et conserver une bonne forme physique. Aussi, n'hésitez pas à répéter ces exercices entre vos parties. Faits en piscine, ces mouvements sont plus faciles et aussi efficaces. Allez-y à votre rythme, commencez doucement et, surtout, soyez constant. Un peu d'efforts chaque jour vaut mieux qu'une bourrée par semaine! Vous éviterez ainsi les blessures qui, il ne faut pas se le cacher, risquent de prendre de plus en plus de temps à guérir. La prévention vaut bien des remèdes!

Sexiste le golf!

Au-delà de l'acronyme sexiste et de mauvais goût *«Gentlemen Only, Ladies Forbidden»*..., il faut dire que le golf a été, depuis ses origines, réservé surtout aux hommes. Cependant, cette situation est en train de changer et ce, de façon radicale et irréversible.

Ce n'est pas avant d'avoir appris qu'il y a maintenant dans la région de Toronto un club de golf réservé aux femmes *(Ladies Golf Club)* que j'ai décidé de vous livrer mes réflexions sur la question du sexisme au golf. On dit même qu'il y a un stationnement réservé aux hommes un peu à l'écart de l'autre...

Douce vengeance que ce club féminin, me direz-vous, pour toutes celles qui, pendant des décennies, ont eu «leur» journée des dames et ont dû vivre avec l'interdiction de jouer avant midi le samedi. Il existerait encore des clubs québécois dont certaines parties des balcons sont encore réservées aux hommes seulement. Ce n'est que récemment que certains clubs ont installé des vespasiennes transportables sur leurs parcours, tenant compte ainsi des différences anatomiques incontournables qui empêchent les dames de soulager certaine envie aussi facilement (discrètement) que les *«gentlemen»*.

Oui, la situation est en train de changer. Le nombre de femmes, quel que soit leur âge, qui choisissent le golf comme sport ne cesse de croître et la tendance devrait se maintenir.

De 1980 à 1990, le nombre de golfeurs a augmenté de plus de 20 %. La proportion des femmes serait passée de 20 % à près de 34 %.

Il y a maintenant au Québec au moins trois femmes professionnelles en titre d'un «club de golf» : Verna Glaude, du Club des Deux Montagnes, Josée Pérusse, du Club Asbestos, et Danièle Nadon, du Club Chaudière d'Aylmer. On peut aussi entendre une commentatrice sur le réseau de télévision américain NBC lors de tournois américains masculins majeurs. Le hockey est bien loin derrière cette évolution même si les Lightnings de Tampa Bay ont invité Manon Rhéaume à leur camp d'entraînement et qu'une émule ontarienne suit son coup de patin.

Voici une anecdote qui témoigne de la persistance du sexisme au golf. Alors que nous jouions récemment en compagnie d'un autre couple, le quatuor qui nous suivait ne cessait de nous «pousser». Pourtant, la lenteur du jeu avait son explication réelle dans la cadence lente du groupe qui nous précédait et qui, en l'occurrence, était composé de quatre hommes. Voilà le «*marshall*» qui s'amène à leur demande et invite ma compagne à accélérer. Et, pour en remettre, il vint ensuite me dire, le plus sérieusement du monde et avec un air entendu : «J'ai averti votre femme de jouer plus vite.»

Le préjugé que ce sont les femmes qui retardent le jeu avait donc doublement joué : d'abord chez le quatuor qui nous suivait (qui comptait d'ailleurs une femme), puis chez le «*marshall*» qui, après avoir trouvé *sa* coupable, se fit un devoir de me mettre au courant de son intervention. Les jeunes utilisent le terme de «*twit*» pour décrire ce genre de personnage.

Imaginons maintenant le scénario suivant : il est deux heures de l'après-midi et un homme s'amène «seul» au tertre de départ d'un club public où deux ou trois hommes s'apprêtent à frapper leur coup d'envoi. «Puis-je me joindre à vous?» demandera-t-il. Leur réponse risque fort d'être affirmative. Transformons maintenant le joueur solitaire en joueuse. Quelle sera la réponse? Il est possible qu'on ne le sache jamais tellement il est peu probable qu'une telle situation se produise...

C'est dans ce contexte qu'une golfeuse prénommée Catie a récemment choisi de contourner le problème en instaurant un service téléphonique qui permet aux femmes jouant seules de planifier leur semaine dès le dimanche en se regroupant et en réservant des temps de départ dans divers terrains.

Faut-il voir dans la différentielle des distances une marque de sexisme? Je ne le crois pas car, même pour les hommes, il y a différents points de départ et rien n'empêche une joueuse, qui en décide ainsi, de frapper sa balle à partir des marqueurs blancs ou même des bleus. On a vu, ces dernières années, les femmes tenir tête aux hommes professionnels dans un tournoi où la puissance reliée à la différence de verges après le premier coup avait été compensée par un positionnement différent des tertres de départ. Et comme pour me donner un argument de plus pour encourager les dames à jouer au golf longtemps, les seniors l'ont emporté lors de la dernière confrontation hommes-femmes-seniors professionnels.

Depuis que je me suis exprimé une première fois sur le sexisme au golf, le journaliste Robert Duguay a produit une série d'articles où il aborde le sujet par le biais de la sous-représentation des femmes aux divers échelons des organisations sportives amateures tant locales, provinciales que nationales. Il y fait notamment l'historique de la présence des athlètes féminines et, dans la plupart des sports y compris le golf, il nous montre que celles-ci y ont accédé relativement tardivement.

La féminisation du golf est bien réelle et, même si ce phénomène exige des modifications d'attitudes de la part de la gent masculine, il a des avantages indéniables.

Et si on souhaite éviter qu'il y ait bientôt des veufs du golf, pourquoi ne pas jouer en couple?

S. BOURRELLE '84

Pour du golf écologique!

J'entends déjà vos remarques (à moins que ce ne soit vos pensées que je lise...) : il suit la mode, il y va d'un chapitre écolo. Non, ce n'est pas, consciemment en tout cas, une question d'être à la mode.

Alors que je revenais de Hollywood, Floride, en 1992 – j'étais allé y suivre un traitement intensif contre mes malaises de sevrage de golf, malaises qui, comme cela vous est sûrement déjà arrivé, allaient croissant depuis que j'avais remisé mes bâtons à l'automne précédent – l'idée d'appliquer une visée écologique au golf m'est venue.

Le «Eco Country Club», un parcours de type *«executive»*, se distingue par ceci que ses 1800 mètres entourent et camouflent l'usine d'épuration des eaux usées de la municipalité. D'une part, connaissez-vous une installation moins esthétique que celle-là? D'autre part, alors qu'on s'apprête à agrandir l'usine, on allongera le parcours sans protestation ou manifestation de qui que ce soit. De quoi faire rêver les autorités administratives et les citoyens de la municipalité d'Oka.

Ce mariage entre des préoccupations récréatives et une conscience des besoins environnementaux me semble tout à fait heureux. Et comme la plupart des terrains de golf se retrouvent dans des lieux et des décors enchanteurs, promoteurs, propriétaires et joueurs devraient continuer de se préoccuper de l'impact de leurs activités sur l'environnement. Comme tout autre citoyen, ils font partie du milieu dans lequel ils évoluent. Ils s'influencent mutuellement. Ainsi, l'aménagement d'un parcours de golf à même un boisé, un marécage ou une terre agricole requiert une approche respectueuse des arbres pour le premier, de la faune pour le second (un parcours floridien de ce type s'est même retrouvé récemment devant les tribunaux pour avoir passé outre les recommandations d'un comité de protection de l'environnement...) et de l'ensemble des terres environnantes pour le dernier. De plus, l'entretien des terrains de golf pose le problème de l'utilisation de divers produits chimiques (fertilisants, herbicides et insecticides) susceptibles de se retrouver dans l'environnement. Un effort semble avoir été fait récemment. Ainsi, les optimistes, dont je suis, voient là une preuve de la conscience accrue des citoyens du rôle de chacun, donc de tous, dans la conservation évolutive de notre milieu de vie. Et le côté psychologique là-dedans, me demanderez-vous. Eh bien, il est dans l'interaction entre le respect du milieu ainsi que la recherche d'une détente et d'un bien-être que nous essayons de trouver dans la pratique de ce sport, loin du stress du travail, loin des soucis du quotidien. Comme je me plais à le répéter, le golf devrait être vu comme un anti-stress, donc un outil d'écologie humaine.

Pour une meilleure chimie au golf!

Que ce soit lorsqu'on parle de la qualité de l'arrimage affectif de deux individus en termes d'atomes crochus ou que l'on attribue une cote à la qualité de l'air d'un environnement de travail en termes «d'ions positifs» ou «d'ions négatifs», il est vraiment question chaque fois de petites choses. Le golf n'y échappe pas et comme le civisme, il est le résultat d'une foule de petits riens.

Je me suis donc amusé, espérant que vous en ferez autant en me lisant, à définir un certain nombre de mots qui se terminent en «ion» et qui s'appliquent particulièrement au golf. Pour ajouter du piquant à cette lecture, je vous propose de qualifier chacun d'eux en ion+ ou en ion- (voir **Annexe**), et de comparer avec ma qualification que vous trouverez dans les pages suivantes. La polarisation de l'un ou de l'autre peut évidemment varier d'une personne à une autre.

ABSOLUTION :

Geste généreux, aussi appelé «Mulligan», du David du même nom qui, au début du siècle, a intenté cette indulgence maintenant répandue internationalement. À l'origine cependant, il semble que ce soit ses compagnons de jeu, qu'il véhiculait de Montréal à Saint-Lambert au Country Club de Montréal, qui l'excusaient si son coup de départ sur le premier trou (seulement...) souffrait trop des effets des soubresauts de la conduite sur le pont Victoria. Il faut se rappeler qu'à l'époque, celui-ci était aménagé plus en fonction des voitures à chevaux que des automobiles.

ADAPTATION (capacité d') :

Caractéristique de la personne qui peut facilement continuer de se comporter de la même façon en dépit d'éléments changeants dans son environnement. Au golf, cette aptitude est particulièrement importante puisque la géographie des parcours diffère énormément : longueur, largeur, accidents divers. De plus, les éléments physiques comme la température de l'air, la vélocité du vent de même que la pluie s'y ajoutent parfois même durant une seule partie. Ainsi la rosée du matin sur les premiers verts et le sable plus ou moins détrempé des fosses après une ondée peuvent gâcher une partie bien facilement.

«ADDICTION» (accoutumance) :

Problème psycho-physiologique par lequel un individu développe une habitude dont il devient l'esclave absolu. Bien que l'agent causal soit habituellement de nature chimique, il peut arriver qu'il prenne la forme d'une activité physique qui, bien que difficilement compréhensible pour les profanes, provoque, si on en est privé, un sevrage qui n'en est pas moins difficile à vivre. Le golf est l'une d'elles...

APPLICATION :

Même si elle peut «s'appliquer» à plusieurs situations d'apprentissage (rappelez-vous les remarques de votre mère quand vous étiez négligent dans l'exécution de vos devoirs...), elle est utile en situation de jeu. Proche parent de la concentration dont elle est dépendante, il faut y recourir chaque fois qu'on est tenté par la démission, par l'abandon. Ne pas s'appliquer, c'est risquer de rater deux, trois, même quatre sorties de sable de suite. J'ai déjà vu un joueur de calibre «A» emporté par la frustration et expédier à la queue leu leu quatre balles hors limite sous l'emprise de la frustration et par manque d'application.

COMPRESSION :

Capacité d'une balle à réagir à l'impact de la tête d'un bâton selon que sa confection est plus ou moins ferme. Ce terme peut aussi décrire l'énergie que l'on met à retenir son rire quand un copain (ou un adversaire) exécute un coup de façon malhabile. La compression est préférable à l'expression ouverte même humoristique de son plaisir devant le malheur de l'autre comme, par exemple, dans la remarque : «Inquiète-toi pas, j'la vois!» ou encore «Beau coup roulé!» à propos de la balle qui vient d'être expédiée par un coup de bois à moins de 10 mètres devant.

CONCENTRATION :

Capacité de l'esprit humain de centrer son attention vigile sur un objet précis : une idée, une tâche, un problème. Cette capacité varie d'un sujet à l'autre, et de multiples stimuli, tant internes qu'externes, s'allient pour la contrer. Elle reste un des éléments essentiels à la bonne exécution du jeu.

DÉCEPTION :

Sentiment surtout marqué par la tristesse. Vous risquez de l'éprouver avant une partie (température inclémente), durant une partie (chaque coup peut en être le déclencheur) ou après lorsque vous faites le décompte.

DIGESTION :

Fonction naturelle visant l'assimilation et l'absorption de liquides et de solides divers qui peut interférer avec l'exécution d'une partie de 18 trous. Trop ou pas assez manger, trop ou pas assez s'abreuver peut jouer en plus ou en moins sur le résultat d'une partie. Il est important de se rappeler que, par temps très chaud, une exposition solaire de cinq heures ou plus pose le problème de la balance électrolytique. De plus, une marche alliée aux efforts plus ou moins grands reliés aux élans pose celui de l'hypoglycémie pour celles et ceux qui y seraient prédisposés.

ÉLATION :

Sentiment différent sinon opposé à la déception. Il est ressenti après un coup particulièrement réussi, une partie complète sans gaffe majeure ou plus simplement lorsque prévaut un instant d'arrêt : vous vous prenez à savourer le moment présent lorsqu'en vacances vous êtes en train de vous adonner à votre passe-temps favori. Sa forme ultime serait prise suite à un trou d'un coup. Je vous le souhaite de tout cœur...

FRUSTRATION :

C'est moins la frustration que son expression qui risque de poser problème. On rapporte qu'il est déjà arrivé qu'un golfeur professionnel lance son sac à l'eau après avoir raté un coup. On dit qu'il aurait ensuite lancé son cadet dans le même lac parce qu'il riait... Mauvais exemple que celui-là!

GÉNÉRALISATION :

Concept selon lequel il est possible, et d'ailleurs hautement souhaitable, que les comportements appris dans un cadre donné puissent être transférés dans un autre lorsque les circonstances l'exigent. Ainsi espère-t-on que les bons coups réussis au champ ou au vert de pratique soient exécutés de la même façon en situation réelle de jeu.

HALLUCINATION :

Perception sans stimulus externe décelable. Dans sa forme négative, elle permet d'effacer de son champ de vision un obstacle tels un plan d'eau, un bosquet ou une fosse de sable, et de favoriser ainsi la réussite d'un coup qui, en d'autres circonstances, en aurait été un de routine.

INTÉGRATION :

Opération par laquelle diverses parties sont rapprochées pour former un tout cohérent. C'est grâce à elle que vous pourrez réunir en un tout productif les divers conseils et moyens que vous venez de lire et aussi ceux que vous avez déjà lus, vus, entendus ou appris à propos du golf. Ce processus, bien que plutôt lent, est nécessaire, voire indispensable.

INTIMIDATION :

Attitude par laquelle une personne se sent inhibée, gênée, écrasée ou tout autrement mal à l'aise face à une ou à plusieurs autres. Ce sentiment peut aussi être provoqué par la configuration particulière d'un trou de golf et peut expliquer qu'il devienne régulièrement le «Waterloo» d'un joueur. Et par un double jeu de mots facile, citons le 11e trou du parcours de Saint-Jean de Matha où certains chutent régulièrement.

MICTION :

Obligation régulièrement impérative d'évacuation liquidienne dont l'équipement pour la rencontrer est tout à fait inéquitable selon le sexe. De plus en plus de clubs diminuent cette injustice en installant des vespasiennes portatives au mitan de chacun des deux neufs.

RATIONALISATION :

Tout argument utilisé pour justifier a posteriori la mauvaise exécution d'un coup :

«Vous m'avez distrait...»
«Ma balle était défectueuse...»
«J'ai un cor au pied...»
«J'ai entendu le train siffler...»
«J'ai pensé à ma belle-mère...»
«Un moustique m'a piqué...»
«Je ne comprends pas, d'habitude je...»

RÉPÉTITION :

Tous les artistes et les athlètes lui reconnaissent deux caractéristiques fondamentales : ennuyeuse mais essentielle. C'est à répéter les même gestes, à refaire la même routine qu'on parvient à la maîtrise du jeu. Vous vous souvenez de ce qui a été dit à propos de la M.I.N.M.? La patiente répétition des mouvements et des routines est la clé de son acquisition, de son amélioration et de sa permanence.

SOUSTRACTION :

Opération mathématique par laquelle on arrive à calculer son handicap : vingt parties moins les dix meilleures divisées par dix égalent : X. Elle est aussi utilisée de façon consciente ou non pour améliorer la réalité de son résultat. À déconseiller pour soi-même (comment peut-on se mentir?) et pour les autres qui auront deux choix : se taire ou vous confronter à votre oubli...

PASSION :

On oublie facilement que ce mot vient du latin «*passio*», souffrance. Et parfois, la partie de golf avec ses dix-huit trous semble plus longue que celle du Christ qui compta pourtant quatorze stations. Heureusement que, comme en amour, la passion du golf n'a pas que des peines. Elle est aussi l'occasion de grandes et de petites joies que je vous souhaite de continuer de connaître en abondance.

Et si vous vous demandez pourquoi ce mot n'est pas, comme les autres, par ordre alphabétique, c'est tout simplement parce que c'est le 19e... et le dernier de cet ouvrage avant sa conclusion.

C'est dans cet esprit léger que je vous ai proposé la définition d'un certain nombre de termes qui peuvent s'appliquer au golf. Le tout est à prendre avec une grosse pensée d'humour.

Et pour conclure!

Merci de m'avoir accompagné jusqu'à la fin du parcours «psy». J'espère que votre jeu et surtout votre vécu au golf en seront améliorés dans le sens d'un plus grand plaisir, d'une plus grande détente, d'un meilleur apport au maintien de votre santé globale. Cette santé a son secret dans un équilibre entre les investissements affectifs et sociaux, le travail et les loisirs.

Si vous ne deviez retenir que trois éléments de cette lecture, je vous suggère les suivants :

Primo : Penser qu'on peut bien jouer sans posséder une bonne technique de base et sans y mettre un minimum de pratique relève de la «pensée magique».

Secundo : Comme il est impossible de garder sa concentration durant toute une partie de golf, s'efforcer d'être concentré au moment précis de l'exécution de chacun des coups.

Tertio : Sauf pour les professionnels dont c'est le gagne-pain, le golf a avantage à être vécu comme un jeu, comme une activité de détente.

Bon golf!

ANNEXE

Quelle valence donnez-vous à chacun de ces mots?

MOT	POSITIVE			NEUTRE	NÉGATIVE		
	+++	++	+	0	− − −	− −	−
ABSOLUTION							
ADAPTATION							
«ADDICTION»							
APPLICATION							
COMPRESSION							
CONCENTRATION							
DÉCEPTION							
DIGESTION							
ÉLATION							
FRUSTRATION							
GÉNÉRALISATION							
HALLUCINATION							
INTÉGRATION							
INTIMIDATION							
MICTION							
RATIONALISATION							
RÉPÉTITION							
SOUSTRACTION							
PASSION